8/22

D1180174

*Doña Problemas*

*Esta obra ha sido ganadora del XXXIX Concurso
de Narrativa Infantil Vila d'Ibi, convocado por
el Ayuntamiento de Ibi en colaboración con Anaya
y cuyo jurado estuvo formado por Isabel Pérez Molina,
José Luis Ferris, Pablo Cruz y Ramón Llorens.*

**Ajuntament d'Ibi**

1.ª edición, abril 2022
2.ª edición, julio 2022

ISBN: 978-84-698-8596-3
Depósito legal: M-6568-2022

Impreso en España - Printed in Spain

PAPEL DE FIBRA
CERTIFICADA

El Hematocrítico

# Doña Problemas

Ilustraciones de Paco Roca

ANAYA

*Para Isabel y Manuela.*
El Hematocrítico

*Para Sabina y Melisa.*
Paco Roca

# 1. UN YOGUR DERRAMADO EN EL INTERIOR DE UNA MOCHILA

Es increíble la cantidad de cosas de 9las que puedes ser testigo si te paseas por el recreo con los ojos y los oídos bien abiertos. No tienes que ser muy observador para que te acabes enterando de decenas de situaciones complicadas. En lo que llevábamos de recreo ya había visto cómo un chaval caía con la cabeza dentro de un charco; cómo los pantalones de una niña se rompían mientras se agachaba a recoger un balón en un partido particularmente intenso de brilé; cómo dos amistades de toda la vida se rompían y dos se reconciliaban; he visto sonrisas y lágrimas, carcajadas y llantos... Así recreo tras recreo, día tras día.

El patio es como la vida, y la vida está llena de problemas.

—¡Menuda tarde me pasé ayer! —le dijo Irene a sus amigas—. ¡Toda la tarde tirada en el sofá viendo vídeos de You-Tube! Es increíble cómo pasa el tiempo. Le das a uno, luego a otro, luego a otro y..., de repente, ya es hora de irte a la cama a ver más vídeos en la tableta.

Irene es alta, va a tercero de primaria y llevaba aquel día una sudadera de lente-juelas con la cara de un emoticono feliz.

—¿Y qué veías? —le preguntó Elena, su mejor amiga.

—Pues un poco de todo: recetas de *slime,* gatitos, bailes... No sé.

No conseguía precisar en qué había empleado todo ese saco de horas de la tarde.

—Chica. Yo no sé de dónde sacas el tiempo.

—¿Por qué lo dices?

—Yo no tuve un minuto libre después de terminar el mural de Ciencias Natu-rales.

—¿Cómo?

—El mural que hay que entregar hoy. El que es obligatorio.

—¡¿QUÉ?!

—Sí, el que es parte de la nota del trimestre. Ya sabes.

Por el tono me di cuenta de que Irene acababa de descubrir que estaba en problemas. Se le notaba en el tono de voz y en la cara que puso. La misma cara de horror que pone alguien cuando descubre que hay una mosca en su plato de sopa.

—¡No me acordé del mural! ¡Pensé que era para el jueves que viene!

—No, no. Era para hoy.

Su amiga le bajó las lentejuelas del jersey. Ahora el emoticono estaba triste.

Me vi obligado a intervenir.

—Hola, perdonad que os moleste, pero no pude evitar escucharos. Soy Juan.

—¿Qué quieres? —me preguntó Elena—. ¡Estamos ocupadas agobiándonos!

Trataba de consolar a su amiga que lloraba con la cabeza enterrada en su melena.

—He oído que tenéis un problema.

—Sí, ¿y qué pasa?

—Conozco a alguien que puede ayudaros.

—¿Cómo?

—Venid conmigo.

Ellas se miraron extrañadas, pero acabaron viniendo porque comprendieron que no tenían nada que perder. Me acompañaron hasta el aparcamiento de bicis. Allí había un niño pequeño sentado, con los ojos llenos de lágrimas.

—¿Qué es este lugar? —quiso saber Irene—. ¿El rincón de llorar? ¿Es La Llorería?

—Vamos a esperar aquí —les dije—. Está este niño delante.

—¿A quién esperamos?

En ese momento llegó Carlota. Llevaba una mochila de peluche con la cara de un perro policía.

—Aquí tienes, Luis —le dijo al niño—. La he limpiado y la he secado. Le he metido dentro una gardenia para que tenga buen olor. Luego la puedes tirar o regalársela a tu mamá. A las madres les encantan las gardenias.

—¡Muchas gracias, Carlota!

—No pasa nada, Luisito. A muchos niños se les rompe el yogur en la mochila. Esto es facilísimo de limpiar. Recibo a muchos compis tuyos con crisis lácteas mochileras.

—¡Me has salvado! ¡Eres la mejor! —El pequeño la besaba y la achuchaba.

Estaba feliz, verdaderamente aliviado.

Irene y Elena abrían los ojos como platos al ver lo que allí estaba pasando. No las culpo. Ver en acción a Carlota es un espectáculo, sobre todo la primera vez.

—¿Quién es? —me preguntaron.

—Es Carlota, la Resolvedora.

—¿La qué?

—Así la llaman algunos, aunque también la llaman la Catástrofes, o Hecatombe. Pero casi todos la conocen como Doña Problemas.

—¿Por qué? ¿Tiene muchos?

—No. Ella no tiene ninguno. Se encarga de los de los demás.

—Y toma —Carlota sacó del bolsillo una botellita de yogur bebible—, que tendrás hambre después de este desastre.

—¡De frutas del bosque! ¡Es mi favorito!

—Claro que sí. Hasta la próxima.

Carlota se despidió del niño y se nos acercó.

—Hola, Juan —me saludó.

—Luisito otra vez, ¿eh?

—Sí —rio—, en esa familia tienen un problema con las mochilas. Cada dos o tres días se le revienta un yogur o se le aplasta un plátano pocho. ¿Qué me has traído? Uh, caras nuevas.

—Se llaman... —empecé a decir. No me dio tiempo a más.

—Irene y Elena —dijo.

Se miraron, confundidas.

—¿Cómo lo sabes? —preguntó Elena.

—Conoce a todas las personas del colegio —les expliqué.

—Eso es imposible —dijeron a la vez.

Todo lo que estaban viendo les parecía inverosímil, pero decidieron arriesgarse y confiar.

—Así funcionan las cosas—les expliqué—. Yo busco a personas que tienen problemas y se las traigo a Carlota. Ella los resuelve. Hay un par de normas, nada más. Nunca le hacemos daño a nadie y nunca cometemos ningún delito.

Carlota sonrió al escuchar esta última parte mientras hacía el gesto de mover la mano derecha de un lado a otro con los dedos estirados indicando que «más o menos».

Es verdad. A veces no quedaba más remedio.

—Esa última parte la tenemos que revisar. Cuéntanos, Irene. ¿Qué problema tienes? —preguntó Carlota.

# 2. Un mural del sistema digestivo

—Hoy tenía que entregar un trabajo de ciencias. Un mural del sistema digestivo. Y, bueno, es que... me lo he dejado en casa.

—Eso es mentira —aclaré yo—. Escucha bien, Irene. Podemos ayudarte. Vamos a solucionarte el problema, pero tienes que ser completamente sincera con nosotros. Es la única manera que tenemos de trabajar: con absoluta confianza. Aquí no puedes mentir. ¿Entiendes eso?

—Me pasé toda la tarde viendo vídeos y se me fue la olla. No hice nada, me rasqué la barriga.

—¿Cuándo tienes que entregarlo? —preguntó Doña Problemas.

—¡Al acabar el recreo! —intervino Elena—. ¿Qué estamos haciendo aquí? Esto es absurdo. ¡A estas alturas ya no hay nada que hacer!

Carlota miró su reloj de pulsera. Es de agujas. Parece viejo; creo que era de su padre. O de su abuelo. No lo sé. Nunca me habla de su familia.

—Tenemos doce minutos, vamos un poco justos, pero lo conseguiremos. Esperad aquí. Juan, consígueme una cartulina y pegamento.

Carlota lleva en su mochila una carpeta clasificadora, de esas que tienen muchos plásticos donde meter papeles y recortes. Utiliza separadores de colores para los distintos cursos, marcados con iniciales para las distintas asignaturas.

De dentro de la carpeta «Ciencias Tercero» sacó un sobre que ponía «El cuerpo humano», y de ese sobre, una bolsita de plástico con imágenes del sistema digestivo.

—Irene, copia lo que te voy a dictar —indicó Carlota.

Ellas no podían ni moverse. Estaban petrificadas. Yo, mientras, había ido a buscar la cartulina y el pegamento y ya había empezado a pegar las piezas.

—¡Moveos! —les grité.

En la galería de imágenes del teléfono móvil de Carlota hay muchas carpetas organizadas en riguroso orden alfabético. Tiene apuntes y esquemas de todas las asignaturas de todos los cursos.

Empezó a dictar las partes del aparato digestivo mientras señalaba lo que yo estaba pegando. Irene copiaba a toda velocidad.

—¡Elena! —le dije a su amiga—. Haz un rótulo bonito.

Le pasé dos rotuladores fluorescentes y ella se puso a escribir en letras grandes: EL SISTEMA DIGESTIVO.

Cuando Irene puso el punto final, sonó la campana.

—Perfecto —dijo Carlota—. Aquí tienes. Para la próxima vez, procura echarle un vistazo a la agenda antes de ponerte a ver vídeos de Internet.

—¡Muchísimas gracias! —Irene abrazó, besó y besuqueó a Carlota. Todos reímos—. ¿Cómo puedo pagarte?

Carlota le enseñó un cuaderno pequeño de bolsillo, con un pokemon en la portada.

—Te apunto en mi libretita.

Otro problema resuelto. Así es Carlota. Así es Doña Problemas.

# 3. Un vecino que escucha la tele a todo volumen

Carlota tiene diez años y es la persona más increíble que he conocido en mi vida. Está un curso por encima de mí y se me presentó cuando yo iba a educación infantil todavía y ella a primero de primaria. Yo estaba llorando porque había llevado al cole un osito de peluche y lo había perdido. Ella se acercó y me dijo que no me preocupase, que iba a solucionar mi problema. No fue fácil, pero lo encontró. Una niña de la clase de al lado lo había cogido y escondido en la mochila de una compañera porque «el osito tenía frío y quería meterse en la cuevita». Eso me dijo. Desde entonces nos hicimos inseparables. Carlota se dedica a ayudar a todo el mundo que tiene algún problema y yo intento ayudarla a ella.

Carlota siempre sabe lo que tiene que decir y lo que van a responder los demás. Ve cosas que nadie más es capaz de ver y piensa cosas que no se te habrían ocurrido en mil años. Es mi mejor amiga y es mi heroína.

Si pensáis que lo hace por dinero o por la fama, estáis equivocados. Como los superhéroes de verdad (bueno, de verdad de los cómics y las pelis), ella lo hace porque sabe hacerlo. Tiene ese poder. Y esa responsabilidad.

Sus habilidades especiales son la supermirada, la superescucha, la superintuición y la superempatía. No se pierde nada. Comprende absolutamente todo. No hay situación que se le escape.

Esa tarde, después del cole, estábamos sentados encima de un contenedor en una calle cerca de nuestra casa. Espiábamos una ventana a través de los prismáticos que Carlota había sacado, por supuesto, de su mochila.

Unas horas antes, Raúl Carmena, de 5.º A, vino a decirnos que hacía semanas que no conseguía dormir bien. Su habitación daba pared con pared a la casa de un vecino que era aficionado al cine. En concreto, al cine de acción. Estaba hecho polvo.

—Me paso las noches escuchando tiros, bombas, explosiones, palabrotas… De todo. ¿Puedes ayudarme?

—Claro —dijo Carlota, con su seguridad de siempre—. Resolver problemas es mi trabajo.

—¿Tu trabajo? Creía que tu trabajo era ser una alumna de cuarto de primaria —soltó de repente Lucho, un amigo de Raúl.

Carlota iba a abrir la boca, pero antes abrí yo la mía.

—¡Sí! Y Spiderman es fotógrafo y Superman periodista. Déjala hacer su trabajo.

Y allí estábamos. Subidos a un contenedor. Haciendo nuestro trabajo.

—El vecino no está en casa —dijo Carlota—. Vive en el 4.º C y desde hace horas no hay ningún tipo de movimiento. Vamos a proceder según el plan.

Nos acercamos al portero automático y llamamos a un par de pisos hasta que de uno nos respondieron:

—¿Sí? —contestó una vecina del séptimo.

—¡Cupones de descuento para *pizzas!*

Tardó menos de la mitad de un segundo en abrirnos. Esta táctica funciona siempre. Si llamas y dices «correo» o «publicidad», a veces te abren y a veces no. Pero… ¿descuento en *pizzas?* Todo el mundo quiere *pizzas,* y más si tienen descuento. Es una llave maestra infalible para entrar en todos los portales.

Comprobamos los buzones y conseguimos el nombre y apellidos del vecino ruidoso.

—Jesús María González Monforte —susurró Carlota mientras lo anotaba en la libreta de casos pendientes.

Tiene varias libretas en su mochila. Todas pequeñas y todas distintas. Las consiguió de varias maneras. En la que apunta la lista de personas a las que ayuda tiene un pokemon en la portada. (No sé cuál, no entiendo de esos bichos. Uno verde y cuqui). La de las pistas de los casos en marcha es de publicidad de un supermercado. Y tiene otra con chistes que le hacen gracia, que consiguió en un hotel donde estuvo de vacaciones con sus padres y en la portada pone *VISITA LANZAROTE*.

—Ya nos podemos ir —dijo, mientras metía en el buzón del 7.º A un cupón de descuento de una pizzería.

Este es el tipo de detalle que demuestra que Carlota es la mejor. Si la vecina mañana al abrir su buzón descubre que no está su cupón, se sentirá engañada y recelosa. Quizás algún día necesitaremos que nos vuelvan a abrir este portal y por eso necesitamos que sigan confiando en la publicidad espontánea. De camino a casa, paso de vez en cuando por la generosa pizzería y cojo unos cuantos folletos con cupones para que tengan siempre validez.

Nos sentamos en un banco del parque y Carlota empezó a hacer magia con su teléfono móvil. Lo tiene desde que la conozco. Nunca le he preguntado quién se lo dio, cómo lo paga, dónde lo recarga. Nunca. Tampoco la he visto utilizarlo para jugar a un videojuego o para ver un vídeo de un oso panda estornudando. Es su herramienta de trabajo, una de las más prácticas. Suele decirme:

—Llevas en el bolsillo una base de datos de la información que necesitas, una cámara de fotos, una grabadora, una calculadora, una agenda... Me pregunto cómo hacían los «arregladores» de los colegios antiguamente sin eso.

Carlota cree que en todos los colegios tiene que haber alguien como ella. Ahora y antiguamente. Cree que ocupa un cargo tan vital para el funcionamiento de la escuela como el del bedel, la directora o la administradora. Aunque esto último no tengo ni idea de qué es, pero tiene un despacho igual de grande que la directora, y la directora manda muchísimo. Yo le he dicho que no tiene razón, que ella es única. Que nadie más hace lo que hace ella; que mis primos van a otro colegio y allí nadie arregla los problemas de nadie.

—¿Y qué hacen? ¿Cada uno se apaña con sus problemas? ¿Como en la selva?

—Supongo que sí. Me cuesta imaginarlo, pero debe de ser así.

Carlota movió la cabeza con incredulidad. No podía concebir un colegio en el que todo el mundo fuera a su bola y nadie pensara en los problemas de los demás. Ella estaba convencida de ocupar un cargo imprescindible.

—Me parece increíble. Con lo que me frustra pensar en ese problema que aún no he conseguido resolver, imaginar un cole entero así…

Solamente había un problema que Carlota no había resuelto.

—Todavía —apunta ella siempre que lo sacamos en la conversación.

Ese no, pero el del vecino ruidoso ya estaba a medio camino de solucionarse.

Fue fácil localizar al vecino en las redes sociales. En su foto de perfil vimos que era un señor bajito y calvo. Con esa cara de buena persona costaba imaginárselo disfrutando en su tiempo libre con tiroteos y masacres a todo volumen. Descubrimos que trabajaba en una cadena de electrodomésticos por las fotos de la cena de Navidad. Descubrimos en qué tienda en concreto por una foto tomando el café con un compañero. Descubrimos que el propietario de la cadena es un millonario de Jaén que se llama Andrés Ortiz.

—Esto está chupado —dijo Carlota.

Marcó el teléfono de la tienda donde trabajaba y puso su voz de mujer mayor. Es increíble lo que hace esta chica con las cuerdas vocales. Puede parecer una abuela, un adolescente, una niña de dos años, un cura…, lo que quiera. Nunca dejo de maravillarme. Me considero muy afortunado de trabajar con ella.

—Electro Ortiz, buenos días —contestó la telefonista.

—Hola, reina. Pásame con Jesús María, por favor.

—Te paso.

—¿Hola? —Jesús sonaba extrañado. Seguramente no recibía muchas llamadas en su trabajo.

—Buenas tardes. Eres Jesús María, ¿verdad?

—Sí. ¿Quién es?

—Soy Alessandra, la secretaria personal de Andrés Ortiz.

Eso explicaba el ligero acento italiano que le estaba notando.

—¿Sí? —Jesús estaba confundidísimo.

—Te explico. Te llamo de parte del señor Ortiz. Resulta que vives en el mismo piso que su hermana pequeña. Un día te vio salir de casa con el uniforme y descubrió que trabajabas en una de nuestras tiendas.

—¿Qué? —No entendía nada

—¿Jesús María González Monforte, calle de Calatrava, 14?

—Sí, vivo allí.

—Pues verás, Jesús María. Ayer la hermana de Andrés le llamó llorando. Le dijo que pones la tele tan alta por las noches que su hijo no puede dormir. Que se desconcentra en el colegio. Que el niño le ha suspendido Matemáticas, Jesús María.

—¿Qué dices...? Lo siento mucho... Yo... —No sabía con quién estaba hablando, estaba girando sin control, como una peonza en las manos de Carlota.

—Escúchame. Baja el volumen. Cómprate unos cascos. Haz algo. Lo que sea. Pero la próxima vez que te llame no seré yo. Será el señor Ortiz.

Cambió la voz para parecer un señor mayor.

—¿TE HA HECHO CASO ESE CRETINO O TENGO QUE DESPEDIRLE? —gritó, apartando la boca del aparato para parecer que era un jefazo enfadado que gritaba desde un despacho cercano.

—No será necesario, señor Ortiz. ¿Verdad?

—Por supuesto que no. Lo siento mucho. Me disculparé con su hermana.

—No, rotundamente no —aclaró Alessandra... ¡Perdón, Carlota!—. Se moriría de vergüenza si supiera que te hemos contado esto. Prohibido sacar el tema. ¿Estamos?

—¡Estamos! De acuerdo, señor... ¡Señora!

—Señorita. Buenas tardes.

—Buenas tardes. Disculpe. Disculpe.

—Compra unos auriculares.

—Sí, sí. —No podíamos verlo, pero estábamos seguros de que estaba agachando la cabeza.

—Tienes buenas ofertas ahí en la tienda.

—Muy bien.

—Te recomiendo los inalámbricos. Es mucho más cómodo sin cables. Espero no tener que volver a llamarte.

Colgó. Raúl no volvió a dormir mal nunca más.

# 4. Un lateral derecho del Celta de Vigo

Al día siguiente, acudió a nosotros un chaval de mi curso que se llama Ricardo.

—Estoy juntando el álbum de la liga —nos dijo— y solamente me falta una de las pegatinas. Lo que pasa es que a estas alturas del curso ya no colecciona nadie. Todo el mundo ha completado los equipos o ha abandonado. Pero yo no, y me estoy volviendo loco.

—Entiendo… La verdad es que no tengo nada de esta colección —le explicó Carlota—. Tuve, pero al no estar ya de moda, ocupaba un espacio importante en mi mochila y en mi casa.

—Se llama Kevin Vázquez. Es jugador del Celta de Vigo. Es el cromo número 89.

—Muy bien —dijo Carlota—. Recibirás noticias mías.

Nos pusimos a preguntar y encontramos a seis personas que todavía tenían en su casa cromos repetidos de esa colección. De esas seis, dos tenían esa pegatina en concreto, pero uno se la había prometido a su hermano pequeño. Lo cual nos dejaba en manos de Leo López, un chaval de 4.º B bastante cabezota.

—Yo he terminado la colección. En realidad no la necesito.

—¡Estupendo! ¡Así nos la podrás regalar! —le dije.

—¡Y una porra! ¿Y eso por qué?

Podía notar cómo se estaba poniendo cómodo en esa posición: la de tener algo que nosotros queríamos y él no necesitaba.

—¿Y qué quieres? ¿Dinero? —Carlota quería ir al grano.

—¿Dinero? No. Si aparezco en casa con dinero del colegio, mis padres me obligarían a devolverlo. No, no, no. Tiene que ser otra cosa.

—¿Qué quieres?

—Te diré lo que quiero. Tengo una Estrella de la Muerte de Lego. Me encanta *Star Wars*.

—Muy bien. —Carlota sacó su libreta de casos para anotar los detalles.

—Mi padre estaba limpiando la casa y aspiró mi Darth Vader. Era diminuto, pero molaba muchísimo. Si me consigues ese muñeco, te daré el cromo.

Carlota cerró la libreta y se despidió amablemente.

—¿Qué te parece? —le pregunté—. Yo lo veo imposible. ¿Quién querría desprenderse de un muñeco de Darth Vader? Nadie en su sano juicio. Este problema no se puede resolver.

—Me basta con un solo problema que no sabemos resolver, Juan. —Me puso la mano encima del hombro—. ¿Sabes quién se desprendería de uno de esos muñecos? Alguien adolescente.

—¿Cómo?

—Los adolescentes cuando crecen se creen demasiado molones como para jugar con muñecos. En esa época les dan igual sus juguetes y aceptan regalarlos a los primos pequeños, donarlos o tirarlos a la basura. ¡Les da lo mismo! Eso sí. Unos años más tarde, con las hormonas más asentadas, empiezan a tener nostalgia y a buscar en el trastero a ver si aparece alguna de esas joyas que hace nada despreciaban.

—¡Tienes razón! Mi prima está intentando recuperar un cubo de Rubik que me regaló en verano.

—Claro que tengo razón. El ser humano es complicado, pero predecible. Acompáñame al otro lado...

El otro lado era, literalmente, el otro lado. De una valla. La valla que separaba nuestro patio de secundaria. Todo era emocionante gracias a Carlota. Al día siguiente, Ricardo vino al aparcabicis.

—¿Tenéis algo para mí? —nos preguntó.

—Ay, Ricardo. Menuda la que has liado —dije.

—¿Qué pasa?

—Pasa que Leo tenía el cromo repetido —continuó Carlota—. Lo que no tenía era un Darth Vader de Lego. Dijo que si le conseguía uno, me daría tu cromo.

—¿Y qué pasó?

—Fuimos al patio de secundaria —le relaté— y nos enteramos de que Sonia Alba, de cuarto de la ESO, tenía una caja de Legos de Star Wars olvidada debajo de la cama. Pero si queríamos ese muñeco, tendríamos que darle una entrada para el concierto de Gusti Lover.

—¿Qué? —Ricardo escuchaba nuestro relato con los ojos como platos.

—La petición no era tan descabellada, Ricardo —siguió Carlota—. Resulta que la madre de una compañera de clase que se llama Silvia Araújo trabaja en la radio, y en la emisora tienen entradas disponibles para ir al concierto de invitado.

—¿Quieres decir que...?

—Quiero decir que Silvia no nos quería dar una entrada así como así. Verás, ella admira muchísimo a Beatriz Canela, una chica de segundo de bachillerato que es como la superestrella de secundaria. Quiere seguir sus publicaciones en

Instagram, pero Silvia no quiere agregarla. Tiene puesto el candadito de las cuentas privadas.

—Así que hablamos con Silvia. ¿Y sabes qué quería ella?

—¿Qué quería?

—Un chicle. Se acababa de comer una pipa de esas que están pochas en el paquete y tenía un mal sabor en la boca tremendo.

—¿Y teníais chicle?

—En mi mochila: de menta, de fresa, de clorofila con y sin azúcar... —respondió Carlota—. Y medio de sandía fusión.

Carlota sacó la mano del bolsillo y le entregó el cromo de Kevin Vázquez metido dentro de una funda de plástico. Ricardo la abrazó y le dio muchos besos.

—Eres la mejor, Doña Problemas. ¡Muchas gracias! ¡Muchísimas gracias!

Cuando se fue, nos reímos recordando la epopeya que supuso conseguir ese maldito cromo.

—Pero al final resolvimos, ¿eh, Juan? Siempre lo resolvemos, tarde o temprano.

Sonreí. Ojalá tuviera razón. El único problema que no consigue resolver tiene que ver con mi familia. Mi abuelo Eladio estaba totalmente enamorado de mi abuela Margarita. Lo hacían todo juntos: desayunaban, paseaban, montaban en bici, veían películas antiguas, jugaban al parchís... Pero, hace cinco años, mi abuela se murió. Desde entonces, mi abuelo no ha vuelto a sonreír ni una vez. Se vino a vivir a casa con nosotros y lo único que hace es sentarse en su butaca a ver la tele, dar un paseo corto diario y dormir. Tiene una pena enorme encima desde que se levanta hasta que se acuesta. Me gustaría volver a verlo contento, pero no lo hemos conseguido.

Le hemos regalado una suscripción a un servicio de películas clásicas, unas zapatillas nuevas, un libro de colorear para adultos y otro de recetas de pan, le invitamos a venir a la función de fin de curso del cole. Intentamos muchas cosas... y nada.

¿Sería ese un caso imposible? ¿Acaso la sonrisa de mi abuelo Eladio era la cosa más difícil con la que íbamos a encontrarnos?

Eso pensaba, hasta que dos minutos después vino al aparcabicis Gonzalo Puig, de quinto de primaria. Sudaba como un pollo. Le temblaba la voz.

—Necesito tu ayuda, Doña Problemas.

—¿Qué te ocurre?

—Van a asesinarme —dijo. Y se puso a llorar.

Definitivamente, eso parecía más serio que un abuelo triste.

# 5. UNA AMENAZA MUY SERIA

Gonzalo se sentó en el bordillo. Le pusimos una manta por encima de los hombros y dejó de temblar tanto.

—Explícate, ¿qué sucede?

Nos miró a los ojos y nos dijo:

—Es Tocho.

Carlota dio un paso atrás y susurró:

—Hugo Mazas.

—Sí. Tocho.

Tocho es la persona más grande de todo el colegio. Ocupa aproximadamente lo que la segunda y la tercera personas más grandes del colegio combinadas. Es una mole. Un toro. Un armario. Y es salvaje. Se pasa la mitad de los recreos castigado. Le han mandado para casa ya no sé cuántas veces. Todos hemos sido testigos alguna vez de lo que es capaz de hacer. Durante un partido de fútbol, le dio una patada a un compañero de clase en el pecho. También le he visto meter a una niña en un contenedor y a otra en un escobero.

Gonzalo por fin consiguió tranquilizarse lo suficiente como para poder contarnos su problema. Su problemón.

—Estábamos en clase de Educación Física y él haciendo el cafre. Se había subido hasta arriba del todo del gimnasio en una cuerda y estaba colgándose boca abajo a no se cuántos metros. Era aterrador, pero nadie podía apartar los ojos de la escena. La profe le riñó. Le dijo que eso era peligroso y le mandó bajar. Justo en ese momento yo le estaba pasando un balón de baloncesto a mi compañero de equipo, nos habían mandado practicar pases. Pero... no le vi. Os juro que no le vi. —Rompió a llorar.

—¿Qué pasó?

—Le di en toda la cara.

Carlota emitió un gemido de sorpresa. Yo tragué saliva.

—¿Y entonces?

—Se cayó de espaldas. Acabó con el culo en el suelo. Y la profe... se rio de él.

—¿Qué? —medio grité yo. La situación me parecía aterradora. Carlota movía la cabeza de un lado a otro en un gesto de incredulidad.

—Madre mía.

—Tocho se levantó y me dio un empujón que me tiró al suelo. La profe nos separó, pero él me dijo que el lunes, en la siguiente clase de Educación Física, iba a acabar conmigo.

—¿Estás seguro? ¿Puedes afirmar que te amenazó?

—Me dijo: «Estás muerto. Muerto. La próxima clase de gimnasia será tu última clase de gimnasia. Voy a acabar contigo. Muerto. Muerto. ¿Me oyes? Muerto».

—Sí —dijo Carlota—, definitivamente es una amenaza.

—¿Qué puedo hacer?

Se notaba cómo los engranajes del cerebro de Doña Problemas se movían a toda velocidad.

—No creo que puedas enfrentarte a él. Eso lo descarto. —Carlota pensaba en voz alta—. A no ser que en un fin de semana puedas especializarte en algún arte marcial. Quizás a través de tutoriales de Internet...

—No lo recomiendo —sugerí yo—. Es como cinco veces más grande que él. Necesitaría un tutorial de cómo construir un tanque, más bien.

—Quizás una armadura...

—¡Por favor! ¡Ayudadme!

—¿Por qué no se lo dices a la profesora? —propuse.

Apenas se le entendía entre lágrimas.

—¡Imposible! Si me convierto en un chivato, será peor todavía. Me hará lo mismo y a saber qué más por hablar con ella.

—¡Será peor que te asesinen! —dije en voz alta.

Tenía la esperanza de que se diera cuenta de lo absurdo de su idea, pero no.

—Peor, sí. Mucho peor.

—Pues esto definitivamente es un problema. Voy a trabajar en ello. Pronto te contaré algo. Dame tu número de teléfono.

Cuando me quedé a solas con Carlota le pregunté en qué estaba pensando. ¿Cómo enfrentarnos a esto? ¿Cómo podíamos resolver algo así? Gonzalo jamás podría derrotar a Tocho en una pelea y ese energúmeno jamás atendería a razones. Cuando se le mete algo en la cabeza, es imposible quitárselo.

—Bueno, en realidad solo hay un camino. Una posibilidad.

—¿Cuál es? —Estaba verdaderamente intrigado.

—Mañana es sábado. No hagas planes. Te necesito a las ocho de la mañana.

# 6. EL ROBO DE UN DISPOSITIVO ELECTRÓNICO

Me costó convencer a mis padres de que tenía que salir de casa tan temprano un día del fin de semana.

—¿Es por esa amiga tuya chiflada?

—Sí, me va a invitar a jugar a su casa y quiere que vaya pronto porque su padre va a hacernos churros.

Les mentí, claro. ¿Qué les iba a contar? ¿La verdad? ¿Cómo explicarla? ¿Cómo decirles que había quedado con Carlota a las ocho de la mañana para esconderme en unos arbustos y espiar el portal donde vivía un abusón de sexto para averiguar sus movimientos?

Averiguar la dirección de Tocho fue fácil, porque Carlota sabe las contraseñas de los profesores y ese tipo de datos aparecen en las fichas de cada uno. Eso fue pan comido. Ahora tocaba la guardia. Pasaron una, dos, tres horas. Las guardias en los portales nunca son divertidas, aunque siempre es genial charlar con Doña Problemas.

—¿A qué estamos esperando? —dije

Me preguntaba si ya sabría algo y no me decía nada para darme una sorpresa, pero parecía ir un poquito a ciegas en este caso.

—En realidad no lo sé. Un movimiento. Algo, cualquier cosa. ¿Cómo está tu abuelo? —me preguntó.

—Ya estaba despierto cuando me fui de casa.

—¿En serio? ¿A estas horas?

—Sí, ya se había sentado en el sofá delante de la tele.

—¿Y qué ve?

—Lo que sea, le da igual. Antes le gustaban las películas antiguas, las de vaqueros, las de risa…, y sobre todo las musicales. Le encantaban ese tipo de pelis, pero como le gustaban a mi abuela, ahora le duele verlas solo.

—Entiendo. —Carlota escuchaba atentamente, como siempre.

Me pregunto si me escuchaba porque es mi mejor amiga o porque quizás podría sacar de mi conversación algún dato relevante para el caso de mi abuelo, el que más se le resiste, pero no le vi sacar ninguna libreta.

—Ahora lo que hace es ponerse un canal cualquiera y quedarse horas delante de la tele, ni siquiera piensa en lo que está viendo. Es como si así pasara el tiempo más rápido hasta la siguiente comida o el próximo paseo.

—Pobrecito... ¡Eeeey, mira qué tenemos por aquí!

Tocho y su madre salieron del portal. La madre llevaba una mochila en la espalda y Tocho, con unos auriculares puestos, caminaba sin levantar la vista de una tableta.

—¡Ouch! —dijo Carlota—. Es de «esos niños».

Su madre le apoyaba la mano ligeramente en el hombro, que está casi a la altura del suyo propio, para guiarle por la acera y que no se llevase por delante a algún peatón provocándole una lesión importante con ese cuerpo gigantesco.

—¡Mírale! —dije, fascinado—. ¡Está completamente hipnotizado! ¿Estará jugando?

—No, fíjate en sus pulgares. No tocan la pantalla. Está viendo algo.

Los seguimos desde la acera de enfrente. Primero intentábamos ser discretos para no ser detectados, pero Tocho no levantó los ojos un segundo de su aparato y su madre no levantó los ojos un segundo de su propio hijo, al que guiaba como a un carrito de supermercado para que no le atropellaran o atropellara él a alguien. Así que terminamos caminando un metro detrás de ellos. Podríamos haber estado comentando la jugada y no se hubieran percatado.

A medio camino nos dimos cuenta de que estábamos yendo hacia un parque bastante bonito que hay en este barrio.

Se había quedado una preciosa mañana y hacía un día estupendo para...

—Sentarse en un banco mirando para la tableta —dije—. ¿Es todo lo que va a hacer?

Su madre sacaba cosas de merendar de la mochila y se las daba. Peló un plátano y le iba dando mordisquitos, como a un niño pequeño. Le daba también sorbitos de un batido de chocolate poniéndole la pajita en la boca de vez en cuando.

Cuando acabó de merendar, se quitó los auriculares y le dijo a su madre:

—¡Pelota!

Como una sirvienta, la señora abrió la mochila y le dio un balón de fútbol con pinta de duro y caro. Tocho se marchó hacia la zona de las pistas deportivas. La señora metió la tableta en la mochila, apoyó esta en el banco a su lado y se quedó sentada, mirando su propio móvil con la misma expresión que tenía su hijo un minuto antes.

—Vale. Esta es la nuestra. Necesito que hagas una cosa.

Carlota me dijo que en los próximos dos o tres minutos tenía que entretener a esa señora, distraerla.

—¿Cómo voy a hacer eso?

Antes de que acabara la pregunta, me puso en la mano una palmera de chocolate.

—Buenos días —saludé a la madre de Tocho.

Ella me miró, y me dedicó una media sonrisa extrañada. Yo se la devolví y dije en voz alta:

—Menudo paseíto me acabo de dar... Me ha entrado un hambre que...

Ni siquiera apartó la mirada del teléfono. Seguí adelante con el plan.

—Mmm, una palmera de chocolate fresquita. Qué cosa más buena. Lo bien que entra a estas horas...

Cero reacciones.

Me metí un bocado en la boca y empecé a masticarla sonoramente. He de confesar que se me da bastante bien hacer de comedor repulsivo, así que no pudo evitar mirarme. Disfruté haciendo un ruido asqueroso mordiendo y tragando. Vi cómo Carlota se acercaba por detrás y empecé a fingir que me estaba atragantando.

—GLLLGHGHHGHGHGHG.

La señora se levantó, alarmada.

—Niño, ¿estás bien?

—ARGRH TLTLIGI GLLLLDLDLDL GIGIGIGIHHS.

Tengo un repertorio bastante bueno de efectos de sonido de atragantamiento. Bastante realista, por lo que parece.

—¡Este niño se está ahogando!

—¡Hay que hacerle la maniobra de Heimlich! —gritó Carlota, haciendo como que aparecía de la nada.

—¿Qué es eso? —preguntó la señora, visiblemente alterada.

—¿No lo ha visto en ninguna película, señora? —explicó Carlota—. Tiene que cogerle por atrás, poner las manos por debajo de las costillas y apretar fuerte.

—¡Ay, sí que lo he visto! Lo hacían en *Aquí no hay quien viva* o en *Friends*. ¡O en las dos!

—En muchas series, sí. ¡Venga, señora, que se muere este chaval!

La madre de Tocho era tan delicada como su hijo. Me empezó a menear con la intensidad de un toro. Me sentí como un dado en un cubilete. Como unas fresas en una batidora. Como un peluche en una secadora. Como un abanico en la playa. No podía ver lo que estaba haciendo Carlota mientras tanto, pero podía oírla gritar:

—¡Vamos, dele, dele, que ya casi está!

Me moví de tal manera que pude ver con el rabillo del ojo cómo cogía la tableta de la mochila, y con su propio móvil hacía fotos a cosas que salían en la pantalla. Estuvo así un rato en el que yo tuve que seguir mostrando mis habilidades interpretativas.

—ZRRTFJKK DKDKDK KLFLLSLA.

Carlota guardó la tableta, cerró la mochila, y me hizo la señal del pulgar hacia arriba. Entonces escupí el trozo de palmera que tenía en la boca lo más lejos posible. Cruzó el aire como un meteorito

y cayó en un arbusto a unos tres metros de distancia.

—¿Estás bien? —me preguntó.

—Estupendamente, gracias —dije, y me fui corriendo con Carlota.

Cuando ya estábamos a salvo, y ya habíamos recuperado el aliento, le pregunté:

—¿Tenemos algo interesante?

—¿Cuándo es la clase de Educación Física en la que va a asesinar a Gonzalo?

—El lunes, después del recreo.

—Bueno. Vamos un poco justos, pero creo que puedo conseguirlo. Voy a llamarle por teléfono y explicarle paso a paso lo que tiene que hacer.

# 7. Una prenda sorpresa

Gonzalo vino a vernos en el recreo, con las rodillas temblorosas. La voz se le entrecortaba cuando intentaba hablar.

—Tienes que confiar en mí, Gonzalo —quiso tranquilizarlo Carlota—. ¿Has hecho los deberes?

—Claro, he estudiado todo lo que me dijiste pero tengo mucho miedo. ¿Y si me arranca la cabeza antes de poder abrir la boca?

—Eso no va a ocurrir. —Carlota le agarró la mano fuerte—. Te lo prometo.

Sacó de su mochila una bolsa de plástico y se la dio a Gonzalo.

—Aquí lo tienes. Ya sabes lo que tienes que hacer.

—Muy bien. Allá voy.

—Luego, cuéntamelo todo, ¿eh?

—Sí, prometido.

Se marchó con sus amigos, pero con la mirada del cerdo que se acerca al lugar donde lo van a convertir en filetes. Carlota me dijo:

—Ven, quiero que veas una cosa.

Me llevó a una esquina del patio desde la que veíamos a Tocho jugando solo. Bueno, jugando… Estaba como haciendo movimientos raros. Daba golpes y patadas al aire, como si se estuviera preparando para un combate de kárate.

—¡Dios mío! —exclamé—. Le va a matar. Le va a hacer picadillo.

—¿Por qué lo dices?

—¡Mírale! Está hasta entrenando los movimientos con los que le va a machacar.

Carlota puso esa sonrisa de saber algo que yo no sé. Ella sabe muchas cosas que yo no sé; esa sonrisa la pone muchas veces.

—¡Venga, vamos a hablar con el resto!

A la salida del colegio, Gonzalo seguía vivo. Y estaba entero. No tenía lesiones aparentes, ni chichones, ni cicatrices, ni escayolas, ni muletas. Respiraba y tenía la cabeza en su sitio. Los acontecimientos habían transcurrido de la siguiente manera...

Llegó a clase de Educación Física, y al salir del vestuario, Tocho lo señaló y se pasó el dedo por el cuello en el gesto universal de «te voy a liquidar». Luego se golpeó la palma de la mano derecha con el puño izquierdo.

La profe explicó las tareas que debía realizar cada uno y se marchó a atender algún asunto al despacho. Allí, en ese preciso momento, es donde iba a suceder la masacre.

Gonzalo se preparó para lo peor.

Tocho se le acercó gritando. Gonzalo bajó la cremallera de su chándal azul. Tocho le agarró por las solapas y lo levantó en el aire. Gonzalo separó los brazos. Y entonces Tocho vio su camiseta. Le dejó en el suelo casi al instante. Dio un paso atrás y dijo:

—¿BRX71?

—Sí —contestó Gonzalo.

Llevaba una camiseta de uno de los grupos más famosos de pop coreano. En la calle de Carlota hay una copistería que imprimen trabajos, fotografías, tazas y camisetas las 24 horas de los 7 días de la semana. Eso es lo que había en la bolsa que le había entregado.

—¿Te gusta? —preguntó a Tocho. Pero él no supo contestarle.

Tocho sabía de puñetazos, de golpes y de empujones. Pero no sabía mucho de hablar con la gente. Así que solo gruñó. Aunque fue un gruñido bajísimo, casi imperceptible, pero que decía claramente: «Sí».

—Es mi grupo favorito —mintió Gonzalo.

Bueno, casi mintió. Un poquito. El caso es que no los había oído en la vida, pero Carlota le llamó para decirle que tenía que tirarse el domingo aprendiendo sobre ellos. Le pasó varias listas de éxitos, los videoclips clave y un par de webs de fans con biografías y después de un maratón intensivo descubrió que eran un grupo estupendo. Sus temazos llegaron a su cerebro para quedarse.

El historial de visionados de YouTube de la tableta de la madre de Tocho estaba compuesto casi exclusivamente de material relacionado con las superestrellas del *k-pop*. Videoclips, entrevistas, documentales y lo que Carlota consideró más importante: tutoriales de coreografías.

Doña Problemas predijo con exactitud que alguien con esas inquietudes artísticas no podía ser 100 % mula. Quizás 90 % mula, pero no 100 %. Y si tenía un 10 % sensible, tenía que existir una manera de llegar a él.

—¿Cuál es tu canción preferida?

Gonzalo nos contó que esa camiseta, ese gesto y esa pregunta le habían desactivado como cuando en las películas cortan el cable de una bomba. Nos dijo que en ese momento Tocho cambió. Se convirtió en otra persona.

No fue capaz de responder, pero él sabía lo que tenía que decirle.

—La mía es «Choices». ¡Tiene la coreografía más genial!

Tocho salió corriendo fuera del pabellón, incapaz de responder.

Y Gonzalo salió del gimnasio vivo y coleando.

—Esto ha sido completamente increíble —dije a Carlota—. Quiero decir... ¡Le hemos salvado la vida a una persona!

—Bueno, a lo mejor no lo hubiera matado, pero... No sé. Menos mal que ha salido bien.

# 8. Cómo hacer amigos

Resulta que no eran movimientos ni de kung-fu, ni de kárate, ni de boxeo, ni de nada parecido. Las coreografías de *k-pop* son endiabladamente complicadas. Tienen muchísimos movimientos, combinaciones, secuencias extrañas. Imitarlas requiere un montón de horas de tesón y práctica. Dominarlas exige una dedicación casi exclusiva.

El matón más terrible de todo el colegio pasaba horas y horas viendo en YouTube los vídeos de su grupo preferido intentando aprender a bailar como ellos. En el patio, como no tenía tableta ni móvil, practicaba las coreografías él solo.

—Menudo espectáculo… —comenté a Carlota—. Ver bailar así a alguien tan grande, tan fuerte, tan…

—Solo —terminó la frase.

Y era verdad. Estaba solo, solísimo.

—Creo que este chico no tiene amigos —observó Carlota, hipnotizada al ver sus meneos desde la lejanía. Y eso, Juan, ¿sabes lo que es?

—Sí. Un problema.

Al día siguiente, Carlota llegó con un altavoz *bluetooth* bastante pequeño al recreo y la intención de ponerse a trabajar en otro problema más.

—¿Qué vas a hacer?

—Bueno, necesito localizar a unas cuantas personas.

—¿Y ese altavoz te ayudará?

—Este altavoz es el gusanito del anzuelo —respondió, mientras lo activaba.

Sacó su móvil y le dio al *play*. Para ser tan diminuto, el altavoz sonaba como un avión despegando. Se empezó a escuchar en casi todo el patio una canción que estaba bastante bien.

—¡Esto mola! ¿Qué es? —quise saber. Los pies se me empezaron a mover solos.

No me respondió ella. Gonzalo se acercó como una polilla hacia una linterna. Junto a él, Raquel de 6.º B y Mariana de 5.º A, además de Amalia y Amelia, las dos hermanas gemelas de cuarto, que ya venían bailando por el camino.

—¡Eeey, qué guay! ¡BRX71! —dijeron.

Carlota apagó la música. Ya había cumplido su función.

—¡Oye! —protestaron las gemelas, indignadas por semejante cortada de rollo.

—Hola. Gracias por acudir a mi llamada.

—¿Qué llamada? —preguntó Mariana.

Doña Problemas sonrió. Su cabeza empezó a ir a mil por hora.

Al día siguiente, fuimos a visitar el rincón de coreografías pochas solitarias de Tocho.

—Hola, Hugo —saludó Carlota.

Él giró la cabeza. Parecía un poco fastidiado por la interrupción, algo avergonzado por la circunstancia de ver su especie de ensayo interrumpido, pero sobre todo intrigado. Hacía tanto tiempo que nadie le llamaba Hugo en el colegio que no recordaba ni cómo sonaba su nombre.

—¿Qué queréis, enanos? —preguntó.

—Queremos hablar contigo.

—¿De qué?

—Verás. Han hecho un club de fans de BRX71 en el colegio. —Escuchamos cómo Hugo lanzó un microgrito superagudo, de no más de un segundo, hecho de excitación pura.

—Van a organizar coreografías y bailes todos los recreos —continué yo—. Hablan incluso de grabar vídeos con los mejores temas.

Hugo cambió de mirada, de cara, de todo. Se llevó la mano al pecho. Le temblaba el labio.

—¡Pe-pe-pero!

—¡Intuyo que quieres participar! —comentó Carlota. Él empezó a agitar la cabeza de arriba abajo—. Ya. Es genial el plan, ¿eh? Pero es una pena porque no puedes.

Esa fue una de las veces en las que creí que Carlota se había vuelto loca. Tocho..., perdón, quiero decir Hugo, la cogió de las solapas y la levantó, como había dicho Gonzalo que le había hecho a él. Carlota no pestañeó.

—¿Sabes? Es por cosas como esta que no puedes.

—¿Qué quieres decir?

—¿Que qué quiero decir? Vamos a ver, Hugo. ¡Eres un animal! ¡Una bestia parda! ¡Un auténtico cafre!

Carlota es la niña más valiente del mundo.

—¿Quién querría practicar una coreografía con alguien que tiene la mecha tan corta? Todos tendrán miedo a que si se equivocan con un paso les caiga encima un tortazo. ¡Ya me dirás tú, vaya plan!

—Yo no haría eso —dijo Hugo en bajito.

—¡Anda que no! A la mitad de los miembros del grupo los has agredido o amenazado en algún momento. ¿Me equivoco si digo que encerraste una vez a las gemelas de cuarto en el armario del gimnasio?

—Las metí en el cajón de los balones de baloncesto.

—Ah, pues nada. Muy normal, sí.

Hugo puso cara de estar verdaderamente arrepentido. Pero eso no era suficiente.

—¿Te sientes mal por ello? —preguntó Carlota.

—Es que no sé por qué he hecho todas esas cosas —explicó—. Luego siempre me siento mal, pero es que… no puedo controlarme. Me enfado muchísimo. Es como si tuviera un fuego dentro de mí.

—Te entiendo. —Carlota, que ya había vuelto al suelo, le escuchaba atentamente. Os recuerdo que ese es uno de sus superpoderes—. ¿Sabes que todo el mundo te tiene miedo?

—Claro que lo sé. Veo cómo me miran, cómo se apartan. No sé, es como que tengo que atizarles para ser yo. Como que es lo que esperan que pase.

—Pero tú no eres así, yo te he visto bailando solo en el recreo. He visto tus ojos cuando miras esos vídeos. Tú eres un niño como todos los que hay en este colegio. Deberías tener amigos.

—No tengo ninguno —dijo, mirando al suelo con una cara de muchísima pena.

—¡No me extraña! —me metí yo en esta especie de terapia improvisada—. Si les vas a zurrar…

—Te diré lo que vamos a hacer, Hugo. Voy a conseguir que te acepten en el club. Y voy a conseguir también que tengas amigos. Pero antes hay que hacer una cosa.

Carlota le entregó una libreta que había comprado especialmente para esta ocasión. Era una libreta de BRX71.

—Vas a anotar aquí los nombres de las niñas y los niños a los que has zurrado o con los que te has portado mal, explicando lo que hiciste en cada caso.

—Pero…

—No hay peros que valgan. Es una libreta de sesenta páginas. ¿Entendido?

Hugo suspiró.

—Yo te ayudaré. Empezamos por Gonzalo.

—¡Pero si no le pegué!

—¡Se pasó el fin de semana muerto de miedo por tus amenazas!

—¿Las amenazas también cuentan? —Tocho tenía mucho trabajo por delante.

—¡Sí! —dijimos a la vez.

—Entonces no sé si llegarán las sesenta páginas...

Llegaron. Justitas, pero acabaron siendo suficientes. Los siguientes siete recreos los dedicamos a pasear con Hugo tachando nombres de la lista. La gente se sobresaltaba al verle llegar, pero cuando veían que Doña Problemas estaba a su lado, en seguida sabían que no iba a hacerles picadillo. Al contrario. Hugo le pidió perdón a 133 alumnas y alumnos del colegio.

Le pidió perdón a Gonzalo por amenazarle de muerte. A las gemelas por encerrarlas en el cajón de los balones. A Mariana por meterle la cabeza en un plato de lentejas en el comedor. A Miranda

de 6.º A por hacerle la zancadilla en el pasillo y por empujarla contra la pared en el recreo. A Guillermo de 6.º B por agarrarle del cuello. A Sebastián de 5.º B por pisotearle un coche teledirigido hace dos años. A Ana de 3.º A por llamarla no se qué barbaridad en el autobús.

Siete medias horas de paseos y aprendizaje, de cambio espiritual y personal.

Hugo aprendió así el alcance de lo que había hecho. Cómo afectaban sus acciones al resto del colegio y cómo él era el responsable de que le vieran como un cafre. Porque es que era un cafre.

Cuando terminó de tachar todos los nombres de esa libreta, le dieron la bienvenida al club. Nunca le volvieron a llamar Tocho. Y él no le pegó a nadie nunca más. Estaba demasiado concentrado en bordar la coreografía de «Pretty Pink Flowers», un temazo particularmente molón de *Rhythm Kingdom,* el tercer disco de BRX71.

Es una pieza muy difícil porque Jun Choi y Li Kang son absolutamente extraordinarios, y cuesta coordinar sus pasos con el movimiento simultáneo de ataque de Park Yeon. ¿Que cómo sé yo todo esto?

Eeeh… Bueno, sí. Yo me he apuntado también al grupo.

# 9. EL PROBLEMA MÁS DIFÍCIL

Nos llamamos los 71 Army Locos. Nos hemos clasificado para los cuartos de final del concurso de baile de TikTok oficial de BRX71 España.

Es que de tanto escuchar sus temazos, acabó picándome el gusanillo. Practicamos todos los recreos y acabamos haciéndolo bastante bien. E hice nuevos amigos. Ahora no tengo demasiado tiempo para ayudar a Carlota, pero ella me entiende. De hecho está entrenando a Luisito, el niño de los yogures bebibles, para hacer mi trabajo. Es su ayudante temporal. De momento no lo hace muy bien, pero, bueno, con dedicación acabará pillándolo. Como nosotros la coreografía.

Carlota nos grabó el vídeo que mandamos al concurso, y la verdad es que fue una pasada. Lo hicimos todo superbién, sin equivocarnos. Estaba perfectamente editado, con unos efectos chulísimos y un aspecto verdaderamente profesional. Y si pudierais ver el gran momento...

En el paso final, nos colocamos todos haciendo el pino puente y por encima pasa Hugo dando un doble salto mortal terminado en espagat. Es una pasada ver a alguien tan enorme moviéndose así y con esa sonrisa tan contagiosa. Está tan feliz... Como todos los del equipo.

Cuando terminó de editar el vídeo, Carlota me pidió que se lo pusiera a mi abuelo. Me dio un pincho USB con el archivo grabado y me dijo que lo conectara a la televisión. ¿Y sabéis qué? Mi abuelo disfrutó mucho al verme bailando. Según él, me parecía a Fred Astaire, que no sé quién es, pero por lo visto bailaba genial.

Y cuando Hugo dio el salto, mi abuelo empezó a reírse y a aplaudir.

—¡Bravo! —gritó.

Hasta mi madre vino a ver qué estaba pasando y se emocionó al ver así al abuelo.

—¡Otra vez! ¡Otra vez! —me pidió.

Y se lo volví a poner. Y volvió a aplaudir. Y caí en la cuenta de que Carlota ya no tenía ningún problema pendiente por resolver. Seguro que eso la iba a hacer feliz.

Tan feliz como estaba mi abuelo viendo el vídeo una y otra vez.

Tan felices como estábamos mi madre y yo escuchando aliviados por fin su risa.

Tan feliz como Hugo dando saltos mortales. Como Luisito oliendo la gardenia de su mochila. Como Irene recibiendo un notable por el mural improvisado. Como Ricardo pegando el cromo que le faltaba en la colección. Como Raúl la primera noche que durmió de un tirón en mucho tiempo. Como todos esos nombres que estaban en su libreta. Docenas de nombres de personas que eran más felices gracias a Carlota.

No hay gente como Doña Problemas en ningún otro colegio, eso es verdad. Pero si los hubiera, el mundo sería un lugar definitivamente más feliz.

# AGRADECIMIENTOS

Gracias a Diego Arboleda por ponerme en marcha, a Álvaro Pons por tender puentes y a Ledicia por todo lo demás.

# El Hematocrítico

*El Hematocrítico (Miguel López) nació en A Coruña en 1982. Profesor de Educación Infantil, Inglés y Primaria, ha firmado varios títulos infantiles de éxito, como la serie El Bosque de los Cuentos* (Feliz Feroz, Agente Ricitos, El lobo con botas, Rapunzel con piojos, Excelentísima Caperucita, ¡Menudo Cabritillo! *y* Agente Ricitos: Misión Princesa); *la colección de cómics infantiles* Leyendas del recreo, *los libros para prelectores* Un perro, Mi hermono *y* Gaviota gourmet; *la antología colectiva* Fantasmada... *También es autor de* Cuadernito de escritura divertida, Mi diario de verano *y la serie Max Burbuja. Junto a Noel Ceballos firmó la novela para adultos* Los cinco superdetectives: Aquí no bebíamos cerveza de jengibre *y creó su popular programa* Los Hermanos Podcast. *Añadimos a esta bibliografía creciente los libros de humor que nacieron en sus blogs,*

*como* El Hematocrítico del arte *y* Drama en el portal. *Colabora con las revistas* Cinemanía *y* GQ, *y como guionista en* Los Felices Veinte, *programa presentado por el director de cine Nacho Vigalondo. Es autor también de proyectos de humor en Internet con tanta repercusión como* Drama en el Portal, El Hematocrítico de Arte *o* Legends of Hemato.

# Paco
# Roca

*Paco Roca (Valencia, 1969) estudió en la Escuela de Arte y Superior de Diseño de Valencia. Aunque su trabajo se centra en los cómics, compagina su tiempo con la ilustración y las charlas y talleres. De su extensísima bibliografía comiquera, cuyos trabajos se han traducido a una decena de idiomas y han sido multipremiados, destacamos:* Arrugas *(2007), Premio Nacional de Cómic 2008, Gran Premio Romics de Roma, Premio Gran Guinigi de Lucca, Excellence Award del Japan Media Art Festival, nominado a los Premios Eisner;* El invierno del dibujante *(2010); la trilogía* Un hombre en pijama *(Memorias de un hombre en pijama, Andanzas de un hombre en pijama y Confesiones de un hombre en pijama);* Los surcos del azar *(2013);* El tesoro del Cisne Negro *(2018), con guion de Guillermo Corral, Premio Splash Sagunt, Premio Heroes Comic Con de Madrid;*

Regreso al Edén *(2020) premio de ACDCómic (Asociación de Críticos y Divulgadores de Cómic de España) a la mejor obra nacional de 2020. Ese mismo año,* La casa, *editada en Estados Unidos por Fantagraphics en castellano e inglés, ganó el Premio Eisner en la categoría de mejor edición de material internacional. En 2021,* El invierno del dibujante *fue nominada al Premio Eisner a mejor edición norteamericana de material internacional y al Premio Harvey a mejor obra internacional. Además, algunos de sus cómics han sido llevados al ámbito audiovisual, como es el caso de* Arrugas *(Ignacio Ferreras, 2011), que obtuvo el Goya a la mejor película de animación y el Goya al mejor guion adaptado,* Memorias de un hombre en pijama *o* El tesoro del Cisne Negro, *convertido en serie de televisión* (La Fortuna) *dirigida por Alejandro Amenábar. En 2021 le fue otorgada la Medalla de Oro al Mérito en las Bellas Artes.*

# ÍNDICE

# Concurso de Narrativa
## Infantil Vila d'Ibi

2005 *Cuentos en familia*
Carlos Lapeña Morón
2006 *Esto no puede seguir así*
Carmela Trujillo
2007 *Klaus Nowak, limpiador*
*de alcantarillas*
Pedro Mañas Romero
2008 *Marabajo*
Pablo Albo
2009 *Tino Calabacín*
José A. Ramírez Lozano
2010 *Cuando mi hermano se subió*
*a un armario*
Victoria Pérez Escrivá
2011 *La última función*
Mónica Rodríguez
2012 *Cuando Óscar se escapó de la cárcel*
Roberto Aliaga
2013 *Veintisiete abuelos son demasiados*
Raquel López

*Este libro se terminó de imprimir el 18 de marzo de 2022, doce años después de que el Instituto de Matemáticas Clay anunciara que Grigori Perelman había resuelto la conjetura de Poincaré, uno de los problemas del milenio. Perelman está considerado el mejor matemático del mundo. Él prefiere el anonimato y vive con su madre en un modesto apartamento de San Petersburgo.*